Vaderkoorts

Martin Hendriksma

Vaderkoorts

Martin Hendriksma (Sneek, 1966) publiceerde eerder de romans *Familievlees* (2008, longlist Libris Literatuurprijs) en *Hunkering* (2010).

Martin Hendriksma: Vaderkoorts

ISBN: 9789085161868
NUR: 301, Literaire roman, novelle
Omslagontwerp: Studio Jan de Boer, Amsterdam
Druk: Graficiënt, Almere

Tolakkerweg 157, 3738 JL Maartensdijk

www.b4books.nl
www.schrijversportaal.nl
www.martinhendriksma.nl

voor Wisse

⚽

De symptomen zijn hardnekkig.
Telkens om kwart over vijf klaarwakker.
Overal zweet.
Hartritme lijkt me niet normaal voor een man van veertig.
En die kop maar malen.
Linkerzij, rechterzij.
Half zes. De buurjongen van drie huizen verderop keert terug van een avondje stappen. Zijn fiets slaat tegen de schuur.
Tegen zessen roffelt ineens een regenbui op het slaapkamerraam. Het zal toch niet…

Als ik beneden kom, zapt hij op de bank door de voetbaluitslagen. In zijn wang de plooien van het kussen, zijn goudgele haar piekt alle kanten op - een tarweveld waardoorheen een boer woest is gaan joyriden.

Ik zet thee en gluur voorzichtig langs de gordijnen de achtertuin in. De wind speelt met de toppen van de coniferen, regendruppels trekken schuine sporen over de ruit. Nog geen sms van Rolf. Het gaat door, het kan niet anders.

'Zin in?', roep ik richting voorkamer.

Zoon is doorgezapt naar Spongebob, hoort niks.

Ik druk de televisie uit. 'Kom! Over een kwartier moeten we weg!'

'Okee.'

In een paar minuten kleedt hij zich om en schuift aan tafel. Zwijgend kauwen we onze boterhammen weg. Zijn voetbalshirt zit achterstevoren. Het witte merkje gluurt over zijn boord.

'Gespannen?'

'Neu.'

'Weet je hoe ze staan? Derde! Ze hebben vorige week gewonnen van Groen-Wit.'

Hij drinkt zijn glas leeg, staat op, kuiert naar de voorkamer en laat zich languit op de bank vallen.

Wij hebben de eerste competitiewedstrijd kansloos van datzelfde Groen-Wit verloren. Net als de volgende drie, overigens. Doelsaldo 4-26. Kanonnenvlees, dat zijn we in de hoofdklasse. Ik stel me voor hoe de coach van Vennepse Boys gisteravond onze uitslagen nog even op de site van de KNVB heeft doorgenomen, twijfelend of hij ze vandaag voor de wedstrijd zou moeten melden aan zijn spelers. Onderschatting, je weet maar nooit.

'Ze zijn allemaal gewoon te goed', roept hij.

'Welnee. Ik wed dat jullie vandaag winnen. Als Mees vorige week die kans had benut, was het een heel andere wedstrijd geworden.'

'Echt?'

'Tuurlijk!'

'Echt, pap?'

Hij rent naar het toilet. Ineens slaat de spanning toe.

In de hal strik ik de veters van zijn voetbalschoenen in een driedubbele knoop. Adidas Copa Mundial, maat 38, elke week tot spiegels gepoetst door zijn vader. Ik kijk omhoog.

'Gaat Dirk Kuyt nog scoren vandaag?', fluister ik.

'Pap, Dirk Kuyt scoort altijd.'

'Behalve in de hoofdklasse.'

'Hmm. Hij wordt te vaak vastgehouden.'

'Hebben we het over gehad, hè? Kun je wat aan doen.'

Zoon wil niet verder praten. Hij hangt tegen de voordeur als een hond die dringend uitgelaten moet worden. Ik stap in mijn regenbroek en sla de winterjas om me heen. Hij trekt de rits van zijn rode trainingsjack tot vlak onder zijn kin. Een streep licht in de hal bestrijkt zijn witte gezicht met de donkere, bijna volwassen ogen, de grotemensentanden in z'n bovenkaak. Maar nog steeds geen nacht zonder zijn vijf knuffels, in slagorde naast hem op het kussen.

Zacht draai ik de deur van het slot.

We mogen.

⚽

'De hoofdklasse...', zei vader van Mees voor de zomer. 'Wist je dat ze daar elke week staan te scouten? Je herkent ze meteen aan hun regenjassen, heel klassiek.'

Het was onze laatste competitiewedstrijd in de tweede klasse. We konden rustig op het hek leunen. De stand was 4-0 voor ons, een paar minuten voor tijd. Onze promotie was al weken een feit.

'Wie?', vroeg ik.

'Ajax, AZ. Feyenoord ook. Af en toe schrijven ze iets in hun boekje. De talenten, die noteren ze. Jongens die eruit springen door techniek, overzicht en... handelingssnelheid, dat vooral.'

Door onze zonnebrillen staarden we naar de moeders met rokjes van de tegenpartij, leunend tegen de reclameborden aan de overzijde van het veld.

'En dan?'

'Bellen ze de amateurclub en geven ze elftal en speler door. Dat ze graag eens met de ouders contact zouden hebben.'

Vader van Mees kon het weten. Hij heeft nog een zoon die volgens vader van Donovan door AZ is gescout. Toverzaad, anders valt het niet te verklaren. Vader van Mees zit in de uitvaartbizz en heeft het atletisch vermogen van een nijlpaard.

'Jij praat uit ervaring?', vroeg ik achteloos. Hij zei iets wat ik niet helemaal kon volgen omdat de tegenpartij op datzelfde moment hard op ons doel schoot. Thijs pareerde feilloos.

'Jammer, Kef!', schreeuwde de blondste rokjes-moeder.

'Dan moet jij beslissen of je het doorvertelt aan je zoon', ging vader van Mees verder. 'Of je het er voor over hebt om 'm drie keer in de week naar de middagtraining in Alkmaar te brengen. Je kunt een jongen van tien niet met de trein sturen. Plus de wedstrijden... Misschien één procent die slaagt. De rest wordt roemloos afgevoerd.'

'Heb je 't hem verteld?'

'Wie?'

'Jouw oudste, die belangstelling van AZ....'

'Nee', zei vader van Mees. 'Nog niet. Ik wil hem niet gek maken. En jij? Zou jij het vertellen?'

We gingen in de aanval. Mees sneed listig tussen twee spelers door en gaf een steekpass op mijn zoon die op het juiste moment de diepte had gekozen. Zijn voorzet ging aan iedereen voorbij en sukkelde traag over de achterlijn.

'Kijken!' De stentor van vader van Thijs.

'Ik ook niet', loog ik.

⚽

Tien over acht. Ik gooi zijn sporttas in de achterbak en stap in. Regenflarden slaan tegen de voorruit als we het verlaten kruispunt voor ons huis oprijden.

'Wat denk je, zelfde opstelling als vorige week?'

Zoon zit naast me, zijn rug gestrekt tegen de bijrijderstoel om boven de motorkap uit te kunnen kijken. Net de één meter vijftig gepasseerd. Op zijn haar ligt een korst van gel, maar bij zijn kruin staan een paar plukken recht overeind. Hij zwijgt. Geen idee waar zijn gedachten uithangen. Waar denken jongens van tien aan? Denken ze überhaupt?

Ik haal het mailtje van Rolf voor de geest, sinds drie jaar zijn coach, zijn baken. Rolf houdt de moed er nog steeds in. 'Zoals ik het nu inschat', mailde hij alle spelers gisterochtend, 'is dit een competitie waarin je van elke tegenstander kunt winnen (zelfs van Groen-Wit), maar ook kunt verliezen. Morgen lekker voetballen. Ga met plezier en inzet voor een mooie pot.'

'Het mailtje nog gelezen?', vraag ik.

'Je hebt verteld wat erin stond.'

'En, wat denk je?'

'10-0 voor Vennepse Boys', zegt hij. 'Als het meezit.'

⚽

Op zijn zesde verjaardag kreeg zoon z'n eerste DES-tenue. Alle jongens van groep 3 sloten zich aan bij de rooms-katholieke voetbalvereniging Door Eendracht Sterk, alle jongens in de klas die ertoe deden.

Het kleinste model shirt dat ik voor hem had uitgezocht kwam tot zijn knieën. De kousen konden dienst doen als maillot.

Onwennig paradeerde hij door het huis. Zijn rode jurk met mosgroene verticale baan fonkelde in het licht van de tafellamp. Welke club voetbalde er in rood en groen? De Nijmegen Eendracht Combinatie, stamgast in het rechterrijtje. Verder? Kameroen of Togo, tweede Afrikaanse garnituur.

'Stoer, man!', riepen we niettemin. En: 'Schitterend, die kleuren! Dat rood met dat groen...'

Hij keek aarzelend omlaag. Het was dezelfde tijd dat meester Wietse hem in de klas een boom liet tekenen. Hij kleurde de stam groen en de bladeren bruin – even kleurenblind als mijn grootvader.

Hij moest de mannelijke genen hebben.

Voor zijn eerste trainingen bij DES nam ik op woensdagmiddag vrij. Daar stond ik tussen de moeders die het laatste schoolnieuws uitwisselden of zich met de ogen dicht tegen een reclamebord koesterden in de septemberzon. Chemische viooltjes vermengden met de rubbergeur van het kunstgras, in het helle licht bijna van een fluorescerend groen. Veertig mini's die een jaar geleden nog ademloos naar de Teletubbies en de Ketnet-kroket keken, en meteen door vader in het gele shirt van Ronaldo gestoken, de zebraprint van Del Piero of het knallende oranje van Ruud van Nistelrooy en Van der Vaart. Schoenen in alle kleuren van de regenboog.

Ze leerden dribbelen met de bal aan de voet, slalommen om een reeks pionnen. Met rechts en links over een afstand van drie meter passen naar een medespeler. Niet met de punt, zoals op het schoolplein, maar de bal schuiven met de binnenkant van de voet. Vaak haalde de bal de drie meter niet. Of hij belandde bij twee naburige Ronaldo's, die 'm geïrriteerd wegpunterden, ergens in de mêlee van mini's.

De trainer was een meisje van achttien met een fluwelen techniek, dat bij de jongens van DES in de A1 speelde. Haar enthousiaste kreten tinkelden in de lucht. Achteloos dreigde ze te passen met rechts, haalde de bal soepel achter haar standbeen langs en opende met haar linkerbeen de andere kant op. Veertig mini's tolden op hun benen.

Bij het afsluitende partijtje werd al de opgedane techniek en tactiek abrupt vergeten. Passen, hoezo? Als een zwerm bijen, kronkelend rond en over elkaar, bewoog het grut zich over het veld. De bal kaatste, rolde, schoof voortdurend in een andere richting en daar renden ze dan weer zo hard mogelijk achteraan.

Zijn benen waren dunner dan die van de andere jongens, viel me op. Waar andere jongens voortdurend naar de bal *toe* renden en koste wat kost als eerste hun Nike Jr Total 90 Shoot Extra er tegenaan wilden zetten, hield hij zijn voet op het laatste moment in en boog zijn lichaam van de bal af om het schot dat volgde en via zestien paar benen dreigend zijn kant op caramboleerde te ontwijken.

Eén keer kreeg hij bij toeval de bal voor zijn voeten. Het veld tot de keeper van de tegenpartij was leeg. Deze Van der Sar, zoals op z'n rug stond, staarde met open mond naar de groeiende streep van een straaljager, hoog in de lucht.

'Lopen!', riep ik.

De moeders staakten hun gesprek en keken verbaasd om.

⚽

Als eersten van de E1 arriveren we in de kantine. De vaste vrijwilligers van de club zitten met voetbalroosters en *De Telegraaf* aan een paar aaneengeschoven tafels. Elke speler kennen ze, elke vader.

Vaag steek ik een hand op en loop naar de bar voor koffie. Zoon leunt tegen een tafel en bekijkt geringschattend hoe twee mini's elkaar bestrijden op de PlayStation.

Vader van Thijs vult met zijn massieve gestalte de deuropening. Hij zwaait en steekt twee vingers de lucht in.

'Stand nog bekeken?', vraagt hij, als we ons ergens voor een raam installeren. Hij is de John Frederikstadt van de hoofdklasse. Ik denk dat hij zelfs de ruststanden van onze tegenstanders uit zijn hoofd kent.

'Half', zeg ik en schuif hem zijn koffie toe.

'Weet je, Nieuw-Vennep heeft met 5-3 gewonnen van DION. Twee doelpunten verschil maar! Als je kijkt hoe wij in de eerste helft tegen DION voetbalden – ik vond ons gelijkwaardig, op z'n minst. Dat die scheidsrechter vlak na rust liet doorspelen terwijl Mees doormidden werd geschopt, waardoor die 2-0 valt… Die 3-0 laat Thijs door z'n handen glippen. Ja, daarna brak het bij ons en wordt het nog 7-0. Hoefde helemaal niet.'

'Het is de hoofdklasse', zeg ik. 'We zijn te naïef. Als iemand van de tegenpartij aan een shirtje trekt, zijn we de bal kwijt. Of we maken de tweede overtreding, waarvoor elke scheidsrechter steevast wél fluit.'

Het is een goede leerschool, vindt vader van Thijs. Hij is onderwijzer, ook in het weekend.

Leerschool voor wat? Voor het profvoetbal later, mocht een van de negen, Mees waarschijnlijk, of Donovan, ooit hogerop komen? Voor de maatschappij?

'Ik vind dat die van jou het anders aardig doet', zegt hij, als mijn antwoord uitblijft. 'Aan zijn inzet ligt het niet.'

Ik zou nu iets aardigs moeten zeggen over zijn Thijs, maar de beelden van vorige week stromen over mijn netvlies: het slappe schotje, totaal mislukt eigenlijk, de bal die door z'n handen, door z'n benen gleed… Breekpunt in de wedstrijd. Breekpunt in mijn weekend.

Een hand knijpt in mijn schouder. Een donkere zaterdagochtendstem zegt: 'Nog een kopje van wat ze hier koffie noemen?'

Vader van Donovan, samen met vader van Boris.

'Zwart', zeg ik.

Druk pratend lopen ze naar de bar.

'Thijs wordt anders ook steeds beter', zeg ik, als ze buiten gehoorsafstand zijn. 'Hij hield er vorige week een paar aardige uit.'

'Hij droomt te veel', zegt vader van Thijs. 'Gebrek aan concentratie, maar ja, jongens van tien... Aan de andere kant: had ík als jochie zo'n trainer gehad, zoveel aandacht... Wie weet hoe het dan was geëindigd? Hoger in elk geval dan het derde seniorenelftal van... '

'Daar heb je Rolf', onderbreek ik.

Hij staat in de kantinedeur, het net met onze drie ballen losjes over zijn schouder. Achter hem vader van Wessel, vader van Bas.

'Hebben we d'r zin in?', vraagt vader van Donovan. 'Hier alvast een kopje macchiato con lecce. Verser kan niet.'

Van het kantinebocht slaat je hart drie keer over, maar de rest van de dag ben je gegarandeerd wakker.

Gepiep van stoelpoten. Rolf en de andere vaders schuiven aan. We zijn compleet.

'Onze succescoach', zegt vader van Thijs, 'en, hoe gaan we vandaag weer winnen?'

'De vaders erin', zegt Rolf.

'Ja, zou wat wezen. Dát zou wat wezen.'

Ik kijk het kringetje rond. De bleke koppen van te weinig slaap, de kringen onder de ogen, de wangen nog rul van het scheren. Bij sommigen meer neus- dan schedelhaar. Fleece-truien en vesten camoufleren de plek waar ooit onze sixpacks pronkten.

Het valt even stil.

'Jongens...', zegt vader van Donovan dan. 'Ik weet er één. Wat is het verschil tussen... hoe was het ook weer , tussen een... vrouw en een nijlpaard?

'Is er verschil?' Vader van Bas.

'Een vrouw heeft een grote bek en een dikke kont', zegt vader van Donovan. 'En een nijlpaard ligt de hele dag in het water.'

Onze lach davert door de kantine. Aan andere tafels wordt verblikt noch verbloosd. Ze kennen onze reputatie.

⚽

Na de mini's rolde zoon de F12 in, het eerste team waarmee hij competitie ging spelen. Jongens van zes, zeven jaar die onder de wedstrijd plotseling besloten dat tikkertje eigenlijk veel leuker was of ergens rond de middenstip zomaar ineens een koprol maakten. Eerst één speler, vervolgens het halve team.

Als het waaide en regende kwamen ze kleumend naar de kant, het rood-groene DES-shirt flapperde om hun buik. Ze wilden naar huis. En wel onmiddellijk.

Ons doel werd verdedigd door de licht ontvlambare Robin. De helft van de tijd bracht hij verongelijkt niet voor maar *achter* zijn doel door, de armen over elkaar, de kin op de borst. Op hem inpraten werkte averechts. Bij een gevaarlijke counter van de tegenpartij rende hij pas op het laatste moment het veld weer in. Soms ook niet. Mokkend keek hij dan toe hoe de bal tergend langzaam over onze doellijn rolde.

Andere jongens hadden geen benul van hun plek of positie, van winst of verlies, en brachten onze wedstrijden lummelend bij de cornervlag tot een eind.

Zoon speelde officieel op het middenveld, maar dat bestond niet. Aanval, verdediging en alles daartussen klonterde samen, met Robin als enige uitzondering. En Sietse, onze diepe spits, die de hele wedstrijd op tien meter voor de vijandige keeper verbleef, hopend op die ene verdwaalde bal die nooit kwam.

Hoe schril stak de F12 af bij onze tegenstanders! Het waren meestal teams van boven het kanaal of uit de polder, toegerust met twee elftalleiders in halflange Adidas-sportjassen en op hardloopschoenen. Ze stelden zich op aan weerszijden van het strijdperk en liepen voortdurend met de bal mee, desnoods dwars door het veld. Ze bulderden commando's als: 'Johnny… zakken!' of 'Zoek de ruimte, Kevin!'

Onze jongens zouden bij dergelijke adviezen niet-begrijpend hun schouders ophalen of nog eens koprollen, maar Kevin en Johnny wervelden als tornado's over het veld en zetten ons al voor de rust op een kansloze achterstand.

Onze coach was de beminnelijke vader van een van de klasgenoten van mijn zoon. Openlijk kwam hij ervoor uit dat hij geen verstand van voetbal had. Meestal posteerde hij zich een meter naast ons doel, de plek waar onze wedstrijden zich voor het overgrote deel afspeelden. Het enige advies dat ik hem herhaaldelijk heb horen geven was een opgewekt: 'Verdedigen, jongens!'

We verlieten de arena met uitslagen als 14-0 of 17-1. Robin, onze keeper, was dan al in geen velden of wegen meer te bekennen.

Het volgende seizoen bracht de verbetering. Zoon stroomde door naar de F6, samengesteld uit de beste voetballers van de F11 en F12. Ze moesten worden klaargestoomd voor de selectie, een jaar later. Dankte hij zijn uitverkiezing aan zijn voetbalkwaliteiten? Of aan het feit dat de coach de vader was van z'n beste vriend? Ik hield het maar op een combinatie.

Er kwam meer voetbal in het team, nu de jongens die tikkertje speelden en koprolden waren afgevallen. Strijdlust. Iets wat op techniek leek. Donovan kon een schaar. De pegels van Robin, die een veel betere spits bleek te zijn dan keeper. Soms, heel soms, iets wat op samenspel leek, een kopbal.

Dankzij een veel te lage inschaling denderden we voor de winter dwars door alle tegenstanders. Elk weekend dubbele cijfers. Onbetwist werden we kampioen met patat en limonade in de kantine. Alle vadercamera's flitsten.

Na de winter promoveerden we naar een hogere klasse. De tegenstanders waren ouder, sterker. Verliezen werd tamelijk normaal.

Wennen deed het nooit. Niet voor hem, en helemaal niet voor mij.

Na weer een verloren thuiswedstrijd begon ik op de fiets naar huis met mijn adviezen.

'Als je tegenstander een sterk linkerbeen heeft, moet je je zo opstellen dat hij er langs die kant nooit langs kan. Jouw directe tegenstander, die Wesley, ging steeds buitenom. Wel twintig keer. Ga in het veld nou eens meer naar rechts staan, bijna tegen de zijlijn. Kan die Wesley je aan die kant nooit passeren en moet hij wel zijn zwakke rechterbeen gebruiken. Pak je de bal zo af. Kijk maar hoe Lampard en Mascherano dat doen.'

'Denk bij een corner niet dat Mees al die ballen wel wegkopt. Dat heeft een tegenstander snel genoeg in de gaten. Loop altijd met je tegenstander mee en maak hem het koppen door een klein duwtje onmogelijk. Had je vandaag die 0-7 voorkomen. '

'Die kans die jij verprutst... Niet met de binnenkant schieten. Keepers in deze klasse pakken al die ballen. De wreef ertegen... Lellen, niet aaien!'

'Probeer in de aanval het veld breed te houden en in de verdediging het veld smal. Blijf bij een tegenaanval altijd tussen de bal en je eigen doel, anders doe je voor spek en bonen mee.'

Zwijgend reed hij naast me. Bij elke passerende auto verlaagde hij dankbaar zijn tempo om een eindje achter me te kunnen fietsen.

Samen oefenen op het plantsoen voor de deur, zou dat ook niet wat zijn? Schoorvoetend stemde hij toe.

Ik trapte zo hoog mogelijk uit. De keren dat de bal niet in de omringende struiken of op het dak van buurmans Volvo landde, moest hij de bal stoppen door zijn schoen er meteen bovenop te zetten. Ik leerde hem à la Neeskens schieten met de wreef. Koppen. Als ik ging hardlopen in de duinen, rende hij hijgend achter me aan.

Tijdverkwisting.

In zijn wedstrijden bleef hij de strijd ontlopen. Braaf achtervolgde hij zijn tegenstander die hem bij de zijlijn had gepoort, zonder shirtje trekken of een subtiel maar venijnig tikje op de achillespees, zoals dat elders op het veld overal gebeurde. Een overtreding - het kwam niet eens bij hem op.

'Toe dan…', hoorde ik mezelf schreeuwen langs de kant. 'Zet die voet voor de bal! Sliding!'

Als zoon zijn tegenstander weer eens liet lopen, riep ik zijn naam en deed langs de lijn voor hoe hij zijn arm in die van Wesley of Diego of Mohammed moest haken.

'Iedereen doet het. Dus jij ook!'

Soms zweette ik meer dan zoon in het veld. Na de wedstrijd duurde het uren voordat ik mijn gêne over zijn optreden van mijn netvlies had gespoeld en over kon gaan tot de orde van de dag: de visboer en de glasbak.

Zo begon het virus zich door mijn lichaam te verspreiden, het virus van de vaderkoorts.

⚽

'Rij je mee?', vraagt vader van Donovan. Hij heeft een TomTom wat gezien de bestemming, Nieuw-Vennep, geen overbodige luxe is.

Heel wat keren ben ik het contact met onze teamkaravaan verloren. Zaterdagochtend half negen, scheur je dan door uitgestorven woonerven waar achter elke bocht weer een nieuwe wacht, de zoveelste verkeersdrempel en uiteindelijk een speeltuin of plantsoen – geen voetbalveld. Zoon voorin naast me met een slecht geprinte plattegrond op schoot, net als ik heeft hij geen idee meer waar we zijn of waar we vandaan kwamen, al die kronkelstraten heten Bornholm of Holborm. De spanning in de cockpit loopt steevast op, terwijl de wedstrijd over tien, negen, acht minuten gaat beginnen. Parijs-Dakar in de polder.

We stappen in zijn Citroën Xsara.

'Weet jij eigenlijk hoe Vennepse Boys staat?', vraagt vader van Donovan, terwijl hij zich naast mij vastgordt.

'Derde. Ze hebben tot nu toe vooral lichte tegenstanders gehad.'

'Tot vandaag!', zegt hij met stemverheffing boven de startende motor uit, vooral tegen onze zonen achterin.

'Juist!', benadruk ik.

Het is stil op de achterbank.

'Gaan we winnen, jongens?', roept vader van Donovan.

'Jà-hà', zegt Donovan. Zoon houdt wijselijk zijn mond.

We hobbelen over het parkeerterrein en sluiten achteraan in de rij. Acht auto's voor negen spelers. Iedereen heeft z'n eigen agenda. Meteen na de wedstrijd wachten zwemlessen, grootouderbezoek, het hockeyveld, overdracht van de kinderen naar het huis van mama, de IKEA... De lome zaterdagochtend met krant, croissant, koffie en spelletjes is jaren geleden opgedoekt.

Rolf trekt op. Het regent nog steeds. Vader van Donovan zet de ruitenwissers een tandje hoger.

'Heb jij eigenlijk ooit gevoetbald?', vraag ik.

'Nee. Judo, later basketbal. Don moet het van z'n moeder hebben. Jij?'

'Ik wel. Op m'n achtste begonnen, eerder kon toen nog niet, en doorgegaan tot m'n zeventiende of zoiets. Tot we verhuisden naar een andere stad.'

'Hoe heette je club?'

'OZS.'

'Oo-Zet-Es', herhaalt vader van Donovan. 'Onze

Zware….'

'Oranje Zwart Sneek', roept zoon vanaf de achterbank.

'Waar stond je?'

'Overal. Laatste man, spits… De laatste jaren vooral op tien.'

'Dus… aanvallende middenvelder?'

'Spelbepaler!'

Vader van Donovan concentreert zich op een bocht in de weg. Rolf en de meeste andere auto's zijn door een gemist stoplicht uit zicht verdwenen. De geur van zweterige scheenbeschermers vult de cabine. Wassen kan niet, weet ik inmiddels. Na één wasbeurt plakt het klittenband niet meer en kun je de scheenbeschermers weggooien. Hoe moet het over een jaar wel niet ruiken, als de eerste hormonen zich met het zweet gaan mengen?

'Spelbepaler…', herhaalt vader van Donovan.

'En wat deed je dan zoal?'

Ik kijk uit het raam, zoek naar een antwoord, een eigentijdse variant. Geen naam die mij te binnen schiet. Waar zie je nog een Glenn Hoddle of Kazimierz Deyna? Spelers die de hele competitie met één broekje konden doen want een sliding was ver beneden hun niveau. Zweten? Ondenkbaar. Daar hadden ze de twee werkpaarden ter linker- en rechterzijde voor. Ondertussen dicteerden ze wel het tempo in de wedstrijd en stiftten ze de bal diep in de tweede helft achteloos tussen laatste man en keeper van de tegenpartij, waarna Alan Shearer of Lato feilloos binnenschoot.

Het juichen van een spelbepaler had niks van doen met de explosies van vreugde die je bij spitsen zag. Die stormden richting cornervlag of dugout alsof zich daar de finishlijn van de honderdmeter bevond, hun ploeggenoten als een roedel uitgehongerde wolven achter hen aan.

Een spelbepaler week na een doelpunt niet van zijn plaats. Hij hief zijn rechterarm, liefst met omhoog gestoken wijsvinger als teken van goddelijke inspiratie. Onaangedaan liet hij zich bespringen.

'Wat je als spelbepaler doet... je doet eigenlijk zo weinig mogelijk', zeg ik uiteindelijk. 'Een spelbepaler is een vrijwel onzichtbare regisseur die zijn werkpaarden ment.'

'En dat deed jij', zegt vader van Donovan droog, om sarcasme de kop in te drukken. We moeten Nieuw-Vennep nog samen zien te halen.

'Dat probéérde ik.'

'Okee!'

'Maar lukte nooit', roept zoon vanaf de achterbank. Donovan en zijn vader lachen hard.

⚽

Toen kwam Rolf in het leven van zoon, leider en trainer in één. Iemand die in de pupillen bij Ajax had gevoetbald, die de voetbalwetten kende. Hij haalde zoon op grond van zijn tactische discipline, zijn loopvermogen en zijn spelinzicht bij de selectie van DES; jongens die twee keer in de week trainden en tactisch en technisch werden klaargestoomd voor het allerhoogste niveau.

Zoon kwam in een team met alleskunner Mees, met diesel Boris, met Donovan die appels at in plaats van snoep want dat was gezonder, de pijlsnelle Wessel.

Aan niets mocht het hem ontbreken. Omdat de kunstgraskorrels funest bleken voor onze wasmachine, wreef ik elke week mijn vingers stuk op de zwarte vegen in zijn voetbalkousen. Schoon kreeg je ze na twee keer dragen al niet meer. Het rood bij zijn tenen werd een gruizig soort bruin.

Zijn voetbalgarderobe omvatte zes paar DES-kousen, vier paar witte trainingskousen, plus een setje enkelkousen voor in de zomer. Trainingsshirts van FC Porto, Olympique Marseille, AC Milan en Feyenoord. Een fluweelzacht thermohemd van minstens veertig euro. Een reserve-thermohemd. Drie trainingsjacks voor alle weersomstandigheden. Trainingsbroeken. Thermische broeken. Korte broeken. Vier paar voetbalschoenen voor kunstgras, echt gras, voor in de zaal en voor op het schoolplein. Ballen, natuurlijk. Ballen van plastic, van leer of van kunststof, altijd genoeg ballen om onze sjieke marmeren hal te degraderen tot materiaalhok. En twee paar scheenbeschermers die overal in huis hun geurspoor nalieten, totdat de weeë zweetlucht zich continu in je neus had genesteld en je zelfs op bezoek bij schoonmoeder of op kantoor midden in een vergadering ineens onmiskenbaar scheenbeschermers rook.

⚽

Als we kwart voor negen in Nieuw-Vennep aankomen is het parkeerterrein vol, een opeenhoping van jeeps en stationwagons. Heel het dorp lijkt zich te verzamelen rond het voetbalveld. Donovan en zoon rennen met hun sporttassen op de rug richting kleedkamer, waar de rest van onze jongens zich al moet bevinden.

Nog steeds regenflarden, een aanwakkerende wind. November.

In de verte zie ik een team met de warming-up bezig. Negen blonde jongens, allemaal in hetzelfde trainingsjack gestoken, de sponsornaam achterop. Ongetwijfeld de tegenstander. Perfecte symmetrie in de oefeningen, als een ballet.

'Koffie?', vraag ik.

'Alles beter dan het DES-bocht', zegt vader van Donovan. Hij knoopt zijn jas dicht en trekt de capuchon strak onder zijn kin. Met zijn profiellaarzen en groene regenbroek lijkt hij klaar voor een weekendje survival.

We betreden de kantine, een toonzaal meer. Ingelijste foto's van de beste spelers en kampioenselftallen aan de muur. Achter de bar lonken drie middelbare dames met theedoek over hun schouder en gebeitelde glimlach. Hier is kantinedienst geen corvee, maar een erebaan in het hart van de samenleving.

'Wat zal het wezen, heren?'

'Twee koffie', zeg ik.

'Espresso? Cappuccino?'

'Doe maar Irish coffee met dubbele portie whisky', zegt vader van Donovan. 'Blijven we straks een beetje warm.'

Haha, lachen de dames. 'Nou, dat zullen we maar niet doen, meneer.'

Een van hen schenkt twee plastic bekertjes vol.

We schuiven aan bij de andere vaders.

'Huizen wezen kijken?', oppert vader van Bas en kijkt op zijn horloge.

'Jij hebt zeker geen TomTom met flitspaalwaarschuwing...', antwoordt vader van Donovan. 'Minstens drie gezien. Dat is dan 180 euro.'

'Rolf reed zo hard, daar valt niet tegenop te flitsen', zegt vader van Mees.

De koffie is gloeiend heet, niet te drinken. Mijn blik glijdt over de velden. Een nieuw sportpark, kaal, met slechts een enkele boom. Wat er aan bladeren aanzat, is er al lang afgewaaid. Twee pupillenelftallen op een half veld, nog een slag kleiner dan zoon. Vaders druk gebarend en schreeuwend langs de kant, zoals altijd en overal.

Ik blaas in de koffie.

Dit seizoen zal het met zoon moeten gebeuren, nu hij voor het laatst in de E-junioren speelt. Volgend jaar wacht het grote veld met elf spelers in plaats van zeven. Zijn team zal uit elkaar vallen. Slechts een paar spelers zullen doorstromen. De rest blijft achter en wordt aangevuld met spelers die nog nooit hoofdklasse hebben gespeeld. Kan alleen maar achteruitgang betekenen.

En wat doet Rolf, volgend seizoen? Blijft hij aan als trainer en coach? Rolf die zoon niet heeft opgepikt vanwege zijn fluwelen techniek of verwoestende schot. Hoe zal een andere coach hem inschatten?

Gelach aan onze tafel. Vader van Donovan klampt zich vast aan de tafelrand om niet om te vallen. Ik pak mijn koffie, roer wat. Hoe lang luistert zoon nog naar mijn advies? Als de hormonen gaan opspelen en zijn schriele welpenlijf, wit als melk, straks de eerste beharing en spieren vertoont doe je er als vader niet meer toe. Een kale, uitgelubberde, machteloos schreeuwende…

'Ik ga vast', zegt vader van Wessel.

'Ik loop met je mee', zeg ik en zet mijn koffie terug op tafel. 'Als iemand nog wil…'

Ze horen het niet eens.

We zwijgen op weg naar kleedkamer 14, diep in de catacomben. Het geschreeuw van een mannenstem, ergens ver achter ons, een leider vermoedelijk. Of een ontspoorde vader. Een deur klapt dicht en een dikke jongen in een strakgespannen geel keepershirt rent ons voorbij.

Kleedkamer 14 staat op een kier. '… dus jongens, duelkracht, daar komt het op aan, met het bovenlichaam voorover het duel in…' Vader van Wessel duwt voorzichtig de deur open. Rolf trekt een wenkbrauw op. Hij is niet blij dat wij zijn bespreking doorkruisen. Zoon zit naast Mees in een hoek en doet of hij mij niet ziet. Nerveus kauwt hij op zijn mouw.

'Okee', besluit Rolf dan maar. 'Ballen mee. Op naar het veld!'

Indianengehuil. Onze jongens schichten voorbij richting deur, hun noppen dartelen op de tegelvloer. Zoon duikt het toilet in.

Op mijn horloge is het nog minstens tien minuten. Ik vouw zijn kleren op die in een boogje om zijn zitplaats op de gore vloer liggen.

Sommige dingen veranderen niet, ook niet in dertig jaar. De kille tegels en de brons gebeitste banken waarin opdrachten voor Anouk en Wendy staan gekerfd. De ijzeren haken voor de kleding.

Het gat in de deur, resultaat van een onverdiende nederlaag. Een verweerde douchekop waaruit water sijpelt. Vooral: de putlucht, de adembenemende, walgelijke, *verslavende* putlucht.

Het slachtlokaal van ontelbare jongensdromen.

⚽

'Passen jullie op? Hij heeft geen schoenen aan.'

De eerste training, ergens in een gymzaal van de middelbare school waar al mijn broers op zaten. Vale, door de zon verschoten gordijnen. Je rook het leer van de bok.

Alle pupillen van Oranje Zwart Sneek samengeperst tussen vier hoge muren. Eén loodzware plofbal, zestig paar schoenen van Quick, Puma en Adidas, de enige merken op de markt, twee blote voeten.

Hoeveel ballen heb ik geraakt? Vier, vijf misschien.

Na afloop besprak mijn vader met Jan, de trainer, de verdere gang van zaken. Iets met een acceptgirokaart en gymschoenen. Mijn vader mompelde wat instemmends en troonde mijn vriendje Peter en mij mee naar onze Ford Taunus, die stijf stond van de sigarettenrook.

Later werden de trainingen gehouden in de gymzaal van de MTS, een uit grijs beton opgetrokken, zielloos gebouw. Dijkstra, heette de nieuwe trainer. Hij had het gedrongen postuur en de gouden manen van Johan Neeskens, ook diens schot.

Van zijn trainingen weet ik nog maar één ding: Dijkstra's oneindige lust om mij te laten koppen. Hij gooide de bal een meter voor me, en ik kopte hem met mijn voorhoofd feilloos terug. Een worp naar links of naar rechts – het deerde me niet: de bal vloog kaarsrecht in Dijkstra's geopende handen. Na mijn duik landde ik feilloos op twee handen en gleed uit op mijn borst.

Een circusact.

'Kijk toch eens hoe dat jong kan koppen!', riep Dijkstra. De andere jongens staarden stoïcijns voor zich uit. Oponthoud betekende minder tijd voor het afsluitende partijtje.

Het moet na een maand of twee zijn geweest dat Dijkstra aan het eind van de training naar me toekwam. Hij plantte zijn grote, zweterige vingers ergens tussen mijn schouderbladen.

'Kom volgende week tien minuten eerder, wil je?'

⚽

Op weg naar veld 3b halen we de anderen in.

'Pooltje beginnen?', roept vader van Donovan. 'Wie durft vijftig euro in te zetten op een overwinning?'

'Voor Vennepse Boys?'

'Haha!'

'Waar zijn de cheerleaders? Zou jij die deze week niet regelen?'

'Aan de overkant', zeg ik. 'Kijk, daar.'

Ik wijs naar drie paarswitte mega-paraplu's, waaronder de F-side van Vennepse Boys samenklit. In de miezerregen zijn de gezichten van de vaders amper te herkennen. Toch zie je ze naar ons kijken, ons inspecteren. Ze kennen de wet van het pupillenvoetbal: de tegenstand langs het veld is minstens zo belangrijk als die erop.

Rolf schudt handen met de trainer, type polderbeul. De aanvoerder van Vennepse Boys lijkt een kop groter dan de rest van het veld.

We nemen onze posities in.

Vader van Thijs bij zijn zoon achter het doel.

Vader van Boris aan de overzijde van het veld, waar Boris wekelijks zijn kilometers aflegt.

Vader van Bas en ik delen de rechterkant.

Rolf met de wissels ter hoogte van de middenlijn.

De rest van de vaders vult de gaten op.

De scheids loopt naar het midden en steekt zijn hand op. Hij wil beginnen. Zoon rent naar me toe om zijn trainingsjack te overhandigen. Ik pak hem nog snel bij de arm.

'Maak ze gek. En als ze je vasthouden, sla je gewoon terug. Doet Dirk Kuyt ook.'

Hij knikt, sjort mijn vingers van zijn pols, want hij moet aftrappen. Zijn natte haar hangt als een gordijn over zijn voorhoofd. Zijn gezicht is nog witter dan vanmorgen vroeg in de hal.

'Vergeet niet, het is maar een spelletje.'

Ik laat los. Met zijn lange, zwabberende veulenbenen sprint hij naar de middenstip.

⚽

De hele week dacht ik aan de afspraak met Dijkstra. Ik kon twee redenen verzinnen. Dijkstra had nóg moeilijker kop-oefeningen in petto, maar dan voor mij alleen. Of, wat ik hoopte: hij wilde vragen of ik niet bij de selectie kon. Jongens die twee keer in de week trainden en al op het grote veld competitie voetbalden – de kweekvijver waar Cambuur en Heerenveen, Ajax en Feyenoord al hun talenten uit visten.

We arriveerden stipt tien minuten te vroeg. Mijn vader liep met Peter en mij mee naar de kleedkamer. Op slot. Dijkstra was er niet. Pas vlak voor trainingstijd reed hij in zijn Ford Capri het parkeerterrein op, wierp zijn sporttas over zijn schouder en begroette de jongens voor de deur met de gebruikelijke valse grap. Hij startte de training met zes rondjes hardlopen in de zaal.

Kopoefeningen hoefde ik die keer en ook de keren daarna niet meer te doen.

Ik had de vage hoop dat mijn vader Dijkstra op onze vergeten afspraak zou aanspreken, maar die haalde zijn schouders op en liet de zaak op zijn beloop. Als het echt belangrijk was, zou Dijkstra ongetwijfeld zelf contact opnemen.

Na de zomer vertrokken we van de MTS naar het gravel van het voetbalcomplex van OZS. Voor Dijkstra kwam een andere trainer, die ons eindeloos rondjes liet lopen rond het derde veld, waar het rook naar de paarden van de naburige manege. Aan koppen deed hij niet.

Soms zag ik Dijkstra nog langs de lijn staan, als ons eerste op zaterdagmiddag op het hoofdveld voetbalde. Hij was meestal druk in gesprek. Ik geloof niet dat hij me herkende.

⚽

Wij trappen af. Robin tikt niet helemaal zuiver opzij naar zoon, die de bal eerst moet controleren. Hij verspeelt zoveel tijd dat de spits van Vennepse Boys met een schouderduw de bal verovert.

'Wat doe je nou?'

Zoon doet of hij mijn stem niet hoort.

De aanval van Vennepse Boys eindigt met een schot dat rakelings voorlangs gaat.

'Jammer, Remco', schreeuwt de polderbeul. De paraplu's aan de overkant deinen op en neer van opwinding. Er klinkt applaus.

'Begint lekker', zegt vader van Bas.

Vennepse Boys speelt de bal soepel rond. Hun spelers zijn voortdurend in beweging. Onze jongens kijken een geslaagde pass vol bewondering na; bij Vennepse Boys lopen ze meteen door om de bal tien meter verder op volle snelheid weer te kunnen ontvangen.

Rolf begint behoudend. Mees speelt achter zijn verdediging. Er zijn twee middenvelders: Zoon en Donovan. Voorin strijdt Robin als eenzame spits. Stuk voor stuk verstandige keuzes, maar nog snijdt Vennepse Boys moeiteloos door onze defensie.

Zoons directe tegenstander is een kop kleiner. Hij heeft rood haar, sproeten en een verfijnde techniek. Hij dolt zoon met passjes achter het standbeen en een dubbele schaar. Ook zijn slidings mogen er wezen. Zoon eindigt bij onze eerste potentiële counter dubbelgevouwen onder een reclamebord.

'Vrije trap', schreeuw ik. Bal gespeeld, gebaart de scheidsrechter.

Aan de harde wind danken we dat een splijtende combinatie van Vennepse Boys over onze achterlijn loopt. Een venijnig schot landt bovenop de kruising. Boris ramt de rebound net op tijd weg.

'DES: actiever!', hoor ik Rolf schreeuwen, als ik mijn eigen stem even rust gun. Rolf moet zich machteloos voelen. Alle uren die hij al dik twee jaar in de training en de wedstrijden steekt, in de weerbaarheid van onze zonen, en nóg worden ze weggeblazen door een zootje polderrouwdouwers. Een aardig zootje, moet ik helaas zeggen. Was ik scout, dan had de lange aanvoerder zeker niet meer bij Vennepse Boys gespeeld. Overzicht, techniek, kracht… Een Mees in het kwadraat.

Aan de trucendoos van de linkerspits mankeert ook niks. Met één beweging schudt hij Bas van zich af en schiet feilloos onder Thijs door in de verre hoek.

1-0.

Rolf verbijt zich.

Vader van Bas pakt mijn arm en wijst naar de overkant. 'Moet je dat zien?'

De Vennepse vaders juichen alsof zojuist de Champions League is gewonnen. Vooral die grote man in een knalgroene winterjas, die al vanaf de eerste seconde langs de zijlijn staat te krijsen. Potsierlijk danst hij in het rond.

Jongens zijn we – meestal aardige jongens. Maar onze zonen moeten natuurlijk wel winnen.

Ik zie het hoofd van vader van Thijs al weer rood aanlopen. Het eindeloze geduld en de tact die hij als onderwijzer dagelijks moet opbrengen, laten hem langs de lijn regelmatig in de steek. Hij heeft al eens zijn grote teen gekneusd toen Robin bij een kans voor open doel over de bal maaide en vader van Thijs een fractie later met zijn sandaal onze eigen doelpaal trof.

Vader van Boris, dan, autoverkoper. Heeft nog nooit zo staan te lullen als toen hij de scheidsrechter twee weken geleden voor 'domme vetzak' uitmaakte. Die kwam meteen verhaal halen. Na afloop in de kantine sloeg de damp nog van vader van Boris' gezicht. 'Zeg nou eens eerlijk jongens, was er één woord aan gelogen, dan?'

Vader van Mees haalde bij onze eerste wedstrijd in de hoofdklasse halverwege zijn zoon uit het veld. Woedend. Hij kon het spel van Mees na een slappe breedtepass niet langer aanzien. Rolf had het helaas pas twee tegendoelpunten later in de gaten.

Vader van Bas kreeg het na een grappig bedoelde opmerking met twee vaders van Groen-Wit aan de stok. De paraplu's werden al gekruist, er volgden dreigende blikken en ik zag vader van Bas al snel mijn kant op kijken om te checken of hij bij een matpartij op mijn bijstand kon rekenen, totdat een van de voetbalzonen riep: 'Pap, ik moet plassen' en de rivaliteit als sneeuw voor de zon oploste. 'Pfffff', zei vader van Bas. 'Ik wilde net een lange sprint richting parkeerterrein trekken. Die gasten zijn helemaal gek.'

⚽

Tijdens het rondjes lopen op de training keek ik altijd met een schuin oog naar Pieter Beuzenberg, de keeper van het eerste, die tegelijk met ons door trainer Schut onder handen werd genomen. Hij gooide de bal over Beuzenberg heen in de verre hoek en die moest hem er met een zweefduik uittikken. Telkens weer duiken, opstaan, duiken, opstaan - tot gekmakens aan toe.

Ik kende Schut. Hij was gymleraar bij ons op school. Een man van discipline. Een van de door hem geïntroduceerde lessen betrof een veldtocht door de weilanden rond het schoolgebouw, liefst in het vroege voorjaar. Onze sprongen over de metersbrede blubbersloten waren kansloos. Schut stond er grijnzend met de handen op de rug naast.

Beuzenberg moest hem bij de veertigste bal vervloeken. Maar op zaterdagmiddag, als OZS tegen DOS Kampen speelde of tegen aartsrivaal de Harkemase Boys, zag ik hem de bal precies zo uit de kruising tikken. Applaus klaterde neer, maar Beuzenberg was al weer bezig zijn verdediging te organiseren voor de hoekschop.

Ons team was een allegaartje van spelers. De

jongens met echt talent speelden een elftal hoger, waar een van de spelers van zijn vader, tevens coach, zelf zijn team mocht samenstellen. Ik wist zeker dat hij er een paar was vergeten: Hidde, onze midvoor, sneller dan het licht. Ronald, keeper, met zijn donkere oogopslag erg in trek bij het trio meisjes dat zich altijd achter zijn doel ophield. Frank, rechterspits, een jongen met fabelachtige passeerbewegingen die net in Sneek was komen wonen en niet één, maar zes teams te laag was ingeschat.

Een seizoen later waren Hidde en Frank naar een hoger team gepromoveerd en zat Ronald fulltime achter de meiden aan. Ons team was de restbak van de vereniging. Bouke die vooral opviel door zijn harde scheten. Jelmer, sigaretten rokend in het doel. En een broodmagere jongen die door iedereen Auschwitz werd genoemd.

Hier opvallen was een koud kunstje. 'Ik dacht het al', zei de coach van RES uit Bolsward in de tweede helft tegen mij, toen ik na een trap op mijn knie even wissel stond. 'De spelbepaler is eruit.'

Ter plekke groeide ik tien centimeter. In elke lange jas langs de kant meende ik een scout van Feyenoord te zien, op jacht naar een nieuwe Van Hanegem.

⚽

Zoon wordt meteen na het doelpunt voor Nieuw-Vennep gewisseld. Heel even kijkt hij schuldbewust mijn kant op.

'Ga eens voetballen!', schreeuw ik naar de andere kant van het veld en druk mijn gebalde vuisten tegen elkaar. Een vage knik. De boodschap is doorgekomen.

De regen houdt aan. Een miezer als een plantenspuit die je stilaan doordrenkt. Tien minuten voor rust mag zoon van Rolf weer terug.

'D'r in', roep ik, als hij een mogelijk duel opzichtig aan zich voorbij laat gaan. Zijn eerste pass zwabbert door de wind over onze eigen achterlijn. Corner.

Ongehinderd kopt de lange aanvoerder bij de tweede paal 2-0 binnen.

Shit.

'Hé, doen we niet meer aan dekken of zo?', schreeuw ik naar zoon. Hij gebaart naar Mees. Zijn man was het.

Knalgroene winterjas is niet meer te stuiten. Hij rent het veld in om zijn scorende zoon te omhelzen en loopt met gebalde vuisten terug naar zijn stek aan de zijlijn. Hi-five met twee moeders. Dan ziet hij ons naar hem kijken en steekt opzichtig zijn duim op.

'Geef me een mitrailleur...', zeg ik tegen vader van Bas. '... en ik knal hem zo van het veld.'

Rolf roept Mees, zijn aanvoerder, bij zich. Wat zullen ze bespreken? Hoe ze een nieuwe afstraffing kunnen voorkomen, vast. Mees meer naar voren laten spelen betekent zelfmoord. De rust halen met zo min mogelijk tegengoals, dat is het enige wat erop zit. Daarna met de wind mee proberen de score een draaglijk aanzien te geven. 6-2 in plaats van 6-0.

Rolf ruilt Robin in voor Wessel. Tijd rekken, dat kunnen we nog wel. Tijd rekken en hopen op een toevallige counter.

Voor rust wordt het nog 3-0. Het doelpunt schrijf ik regelrecht toe aan zoon, die toestaat dat zijn man bij een voorzet binnendoor knijpt en ongehinderd de bal in het net knalt.

Gebukt, met de handen op zijn knieën, staat hij bij de tweede paal. Zijn scheenbeschermer steekt boven zijn afgezakte rechterkous uit, zijn natte shirt kleeft om zijn borstkas. Druppels glijden van zijn kin in het doorweekte gras, terwijl hij door Robin en Mees wordt uitgefoeterd.

'Ja, jouw man!', schreeuw ik. 'Moet je héb-bén!'

Zoon heft zijn middelvinger en draait zich van me af.

⚽

Voor onze uitwedstrijden in Bolsward, Blauwhuis, Hindeloopen en andere oorden in de Friese Zuidwesthoek werden de vaders volgens een strak schema ingeroosterd dat al aan het begin van het seizoen onder het team werd verspreid. In elke auto vier spelers. Ieder kind betaalde één gulden vijftig aan de leider, die het geld naar rato over de chauffeurs verdeelde. Door de oliecrisis kostte een liter benzine goud geld, bijna negentig cent.

Mijn vader weigerde de tegemoetkoming steevast. 'Stort maar in de clubkas', zei hij. Ik wedde dat het geld in de zak van onze leider, meneer Mulder, bleef steken.

Hij zei nooit veel, mijn vader, als we achter Mulders Fiat aan naar een sportcomplex in de provincie reden. Ik koos bij voorbaat de rustigste jongens bij ons in de auto, zodat het gesprek tijdens zijn maandelijkse transportcorvee over onschuldige zaken ging en hij zijn stem niet één keer hoefde te verheffen.

Of hij zich op onze wedstrijden verheugde, weet ik niet. Daar spraken wij niet over.

Hij hield van voetbal als kijkspel: van het Nederlands elftal, van zijn Ajax dat ook in die jaren

Feyenoord voortdurend aftroefde. Graag zou ik mijn woede na een nieuwe kansloze nederlaag van Feyenoord van me afspelen en mijn vader uitdollen ergens voor onze garage of op het grasveldje voor ons huis, maar daar kreeg ik geen kans toe. Hij voetbalde niet, nooit. Als de bal bij een van onze wedstrijden weer eens over het hek vloog, toevallig zijn kant op, zou elke man de onbedwingbare neiging hebben om de bal met een elegant stiftje terug op het veld te schieten, recht in de handen van de jongen die mocht ingooien. Mijn vader pakte de bal in zijn handen en *gooide* 'm het veld weer in. Zijn talent hield hij geheim.

Langs de lijn zonderde hij zich bij voorkeur van de andere vaders af, die met elkaar de politiek bespraken of een kroket haalden in de kantine. Af en toe wierpen ze een blik op het veld. Soms, bij een dood spelmoment, keek ik snel of mijn vader wél onze wedstrijd volgde. Hij rookte een sigaret en staarde in zijn blauwe jopper over een reclamebord gebogen onaangedaan voor zich uit. Of hij mijn prestaties nauwlettend in de gaten hield of aan iets heel anders dacht, was me niet duidelijk.

Hij moet van ons voetbal hebben gehouden zoals hij van vissen hield. Met een hengel zonder aas aan de rand van het meer een beetje voor zich uit staren, mijmeren.

Een vloek of geschreeuwde aanmoediging - ondenkbaar. Pas als we terug naar huis reden en de andere jongens bij ons clubhuis hadden afgezet, kwam zijn vaste commentaar. We stonden voor het stoplicht bij de Oosterdijk, hartje Sneek. Mijn vader drukte zijn sigaret uit in de asbak onder het dashboard.

Hij zei: 'Je bent bang voor de bal.'

⚽

Rust. Ik loop met soppende schoenen en een flesje AA het veld in en pak zoon bij zijn dunne arm.

'Wil je dat nooit meer doen!'

'Wat?'

'Dat van die middelvinger.'

'Je schreeuwt weer zo', zegt hij.

'Omdat jij slecht speelt. Het lijkt wel verdorie alsof je bang bent voor de bal. Dat zal me toch niet gebeuren, dat ik een zoon heb die bang is voor de bal.'

'Ben ik niet', zegt hij beslist, en steekt de hals van het flesje AA ver in zijn mond, ten teken dat de discussie is gesloten.

Om me heen verrichten de andere vaders herstelwerk. Donovan heeft een schram op zijn knie. Boris' enkel speelt op, vaste kwaal bij achterstand. Zoon is erbij gaan zitten. Met een van pijn vertrokken gezicht voelt hij aan zijn kuit.

Rolf klapt in zijn handen. 'Verzamelen...'

Als een verslagen leger strompelen ze naar hem toe.

'Okee, jongens', begint Rolf. 'Het staat weer 0-0 en één ding weet ik zeker: met de wind mee is de tweede helft voor ons.'

Wij trappen af. Zoon wil terugpassen op Mees, maar door de wind haalt de bal Mees niet en kan Vennepse Boys weer meteen overnemen. Thijs keert het schot.

'Harder passen!', schreeuw ik. Zoon geeft geen blijk van herkenning.

De doelman van Vennepse Boys trapt uit. Met een vreemde curve zakt de bal plotseling naar beneden, maar een meter of tien buiten zijn strafschopgebied. Wessel kan oppikken, dribbelt, loopt zich vast, maar Boris neemt meteen over.

'Halen Boris!', schreeuwt vader van Thijs vanachter ons doel.

Boris haalt. De bal zeilt kilometers voorlangs.

'Niet meteen schieten, blijf kijken', roept Rolf. Ik zie hem gebaren dat vader van Thijs zich gedeisd moet houden. Rolf zag net als ik dat Robin vogelvrij voor het doel stond en dat Donovan en zoon razendsnel kwamen inlopen. Had geheid een doelpunt opgeleverd.

Weer een mislukte uittrap van hun keeper. De wind maakt alles uit. We pinnen Vennepse Boys vast op eigen helft. Nu snel scoren, dan is alles nog mogelijk.

Ik begin het warm te krijgen, voel zweet op mijn rug.

Rolf gebaart dat Mees naar voren moet, meteen achter zijn spitsen. De coach van Vennepse Boys haalt prompt een van z'n spitsen naar de kant en brengt een verdediger met poldermaten in.

'We gaan ze pakken', sist vader van Bas naast me.

Hun aanvoerder, die ik al in Jong Oranje zag voetballen, verspeelt de bal bij een lichtzinnige passeeractie in zijn eigen verdediging. Robin zet voor. De bal komt recht op zoon af, die raakt de bal maar half, waardoor hij precies voor de voeten van Mees rolt. Een streep - doelpunt.

3-1. We springen op.

'Lekker Meesje!', schreeuwt vader van Thijs.

Zoon slaat z'n hand tegen die van Mees en kijkt naar de zijlijn, naar mij.

Heb ik z'n assist gezien? Ik steek mijn duim op.

De coach van Vennepse Boys scheldt zijn aanvoerder de huid vol. Knalgroene regenjas doet het daarna als vader nog eens dunnetjes over. Huilend wendt de jongen zich af. Hebben we voorlopig geen last meer van.

'Keurig, jongens', roept Rolf. 'En nu door!'

Ik kijk naar de vaders van de tegenpartij. Hun hoofden gebogen onder de paraplu's. Ze beginnen 'm te knijpen.

⚽

Uit tegen Gorredijk stond mijn team bij rust met 2-0 achter. De tweede helft was een paar minuten oud. Ergens halverwege de vijandelijke helft kreeg ik de bal voor mijn voeten. Onze aanvallers, aan wie ik de bal doorgaans braaf afstond, waren in geen velden of wegen te bekennen. Met een schijnbeweging schudde ik eerst de ene, vervolgens ook de tweede verdediger van me af.

De weg naar het doel lag open.

Ik schoof de bal drie meter voor me uit, zag dat de keeper kwam uitlopen tot de rand van de zestien. Achter me hoorde ik de hijgende ademstoten van de verdedigers. Elk moment vreesde ik een sliding, hun ultieme poging om me bij te halen en de benen te breken. Carrière naar de knoppen.

Meteen schieten!

De bal raakte ik vol, maar te veel aan de onderkant. Hij zeilde omhoog, te hoog voor de keeper die uit alle macht sprong. Z'n vingertoppen graaiden in het luchtledige. Te hoog ook voor het doel, leek het. Ik zag de bal al overvliegen en eindigen in de achter het doel gespannen netten.

Toen gebeurde het ongelooflijke. Vlak voor de lat daalde de bal. Het net leek zich uit te strekken om het leren projectiel te verwelkomen en nam mijn schot dankbaar op. Bal en net veerden een halve meter door, waarna de bal neerplofte in het gras achter de doellijn.

Een doodse stilte van een halve seconde volgde, waarin de keeper van Gorredijk zich mismoedig voorover boog en de twee verdedigers achter me zich puffend lieten uitglijden op het natte gras. Ik kneep mijn vuisten samen en begon in een waas van verbijstering en geluk aan een Tardelli-sprint richting de verste cornervlag.

De oerschreeuw ergens vanuit het hart van onze verdediging, overgenomen door negen jongens die de achtervolging inzetten, waarvan de eerste me vlak voor de cornervlag achterhaalde, onderuit trok en bedolf.

Na vijf minuten krabbelde ik als laatste van ons team overeind. Toen ik mijn sportbril rechtzette, keek ik precies in het gezicht van mijn vader, amper drie meter bij me vandaan. Stoïcijns leunde hij over het hek, zijn armen op de reling.

⚽

Onze tweede goal blijft uit. De krachtsverhoudingen op het veld lijken weer in balans. Wij vallen aan maar zijn niet bij machte de verdediging van Vennepse Boys uit elkaar te spelen. Ook de tegenstander kan niets afdwingen: de wind blokkeert elke counter.

Langs de lijn is het evenwicht hersteld. De Vennepvaders voelen dat het einde van de wedstrijd begint te naderen, dat de overwinning over de streep kan worden getrokken. Moeizaam, maar wat maakt het uit?

Nog acht minuten. Rolf gaat alles of niks spelen met Mees in de spits.

Een van de verdedigers van Vennepse Boys schiet de bal het veld uit, recht op het kluitje met vaders af. Knalgroene regenjas kan de bal moeiteloos vangen, maar laat hem heel bewust door zijn vingers glippen, waardoor de bal op het naastgelegen veld belandt en dankzij de wind tientallen meters doorrolt.

Donovan rekent erop dat regenjas de bal haalt, maar die blijft doodleuk staan.

Jullie bal toch?, gebaart hij. Eikel.

'Ik ga daar maar eens staan', zeg ik tegen vader

van Bas.

'Goed idee', zegt hij. 'Pas je wel op?'

Donovan gooit in naar Wessel, onze enige verdediger nog. Hij schiet de bal hoog voor de pot, rekenend op de kopkracht van Mees. Ik zie hoe de aanvoerder hem bij zijn shirt grijpt om Mees het springen te beletten.

'Hé, scheids', wil ik roepen, maar de bal zeilt langs hun verraste keeper en ploft precies in de verre hoek.

3-2.

Vader van Bas draait zich om. Ik sla mijn hand tegen de zijne.

'En nu eroverheen!', roept hij.

'Afmaken!', schreeuw ik. 'Maak ze af, die jongens van Nieuw-Vennep!'

Nog zes minuten. Met man en macht vallen we aan. Vader van Donovan, altijd de rust zelve, staat vijf meter in het veld wild te wijzen.

Thijs moet mee naar voren, gebaart Rolf. Onze keeper als extra spits.

Thijs krijgt de bal meteen aangespeeld, omzeilt met zijn vlekkeloze techniek een aanvliegende Venneper en geeft een steekpass op Boris, die aan zijn zoveelste rush begonnen is.

'Halen Boris!, schreeuwt vader van Thijs, maar Boris haalt dit keer niet.

Hij geeft een geslepen voorzet die aan iedereen in de doelmond voorbij gaat, omdat hij recht op zoon afkoerst. Een meter voor de tweede paal staat hij vogeltjevrij.

'Jááááá!', brult vader van Donovan, als zoon op het punt staat de bal binnen te tikken.

'Jááááá', brullen vader van Boris, Thijs, Mees, Bas en ik in koor.

Zoon raakt de bal met de binnenkant voet, maar door een of andere oorzaak (een kluit, zal hij later zeggen) belandt de bal niet in het net, maar zien wij hem ernaast rollen en eindigen onder een reclamebord.

Alles zwart.

Ik moet me aan de reling vasthouden om niet om te vallen.

'Kom op.' Een klap van vader van Bas op mijn rug.

Als ik mijn ogen open, staat de aanvoerder van Vennepse Boys voor het door Thijs verlaten doel. Koel tikt hij de 4-2 binnen.

⚽

Eens per maand schonk een oudere neef mij zijn stukgelezen *Voetbal Internationals*. Ik vrat de nieuws-pagina's. Ook al waren ze soms weken oud, veruit de meeste berichten hadden nooit de kolommen van de *Leeuwarder Courant* gehaald.

De meeste tijd stak ik in de cijfers die door de redactie wekelijks aan de spelers uit ere- en eerste divisie werden toegekend. Alle spelers van alle clubs kende ik uit mijn hoofd, maar één volgde ik in het bijzonder: Willem, toen meestal nog *Wim* van Hanegem. Rugnummer 10. Spelbepaler, net als ik.

Van Hanegems adres stond samen met dat van alle andere eredivisiespelers aan het begin van het seizoen gewoon afgedrukt in de *VI*. De eerste brief van mijn leven ging naar Hendrik Ido Ambacht, een forensendorp onder de rook van Rotterdam.

Mijn beginregels: 'Beste Meneer Van Hanegem, hoe is het het met U? Met mij is het goed, hoor.'

Hij moet zich daar in Hendrik Ido Ambacht hebben bescheurd. Anders zijn Truus wel.

De verlangde foto met handtekening bleef maanden uit. Toen ik de hoop al had opgegeven, viel een bruine envelop op onze deurmat. Onze straatnaam was fout geschreven en een postzegel ontbrak, maar de inhoud... Eindeloos liet ik mijn wijsvinger glijden over de handtekening die een paar dagen eerder uit de pen van mijn idool moest zijn gevloeid.

Dertig jaar later hadden Willem van Hanegem en ik onze enige ontmoeting. Hij was op dat moment assistent-bondscoach onder Dick Advocaat. Zoon, nog een baby toen, had mij weer eens van mijn slaap beroofd. Ik droomde wat weg voor het fietsersstoplicht, 's morgens om kwart voor acht op weg naar mijn werk in de troosteloze industriezone van de stad. Het licht voor de auto's sprong op groen. In een flits zag ik 'm voorbijrijden, de stationcar, twee zonen met krullen op de achterbank. Hij was het, onmiskenbaar. Ik keek Van Hanegem zo lang mogelijk na terwijl hij de bocht inging en zijn stationcar oploste in het verkeer.

⚽

Na afloop handen schudden met knalgroene regenjas, die met een grijns van oor tot oor over het veld banjert.

'Jullie staan veel te laag', huichelt hij. 'En die van jou is geen verkeerde. Hij heeft het na rust heel aardig gedaan.'

Heel aardig gedaan… Hij heeft de benen uit zijn lijf gerend, ja, en drie, vier keer een dieptepass gegeven die in theorie tot een doelpunt had kunnen leiden. Plus die assist, z'n eerste officiële vermelding in de statistiek van de hoofdklasse. Vader van Thijs heeft 'm ongetwijfeld genoteerd. Maar dé kans op de gelijkmaker, hét beslissende moment in de wedstrijd, die heeft hij deskundig verprutst.

'Hij had moeten scoren', zeg ik.

'Ja, scoren…', lacht groene regenjas, 'dat is het mooiste wat er is.'

De aanvoerder, zijn zoon, heeft het vandaag twee keer gedaan. Ik zeg niks.

'Onze beste wedstrijd, mannen', zegt Rolf even later in de kleedkamer. 'De tweede helft hebben we zelfs dik verdiend met 2-1 gewonnen.'

We staan stijf onderaan, stijver dan ooit, maar

Robin en Thijs glijden luid zingend in hun Björn Borg-onderbroeken door het badschuim op de douchevloer.

Het is stil in de auto, als we door vader van Donovan bij het sportpark zijn afgezet, en terug naar huis rijden. Zoon knabbelt aan de laatste dropjes van het zakje uit de kantine.

'Dirk Kuyt heeft weer niet gescoord', zeg ik. 'Dit keer werd hij niet vastgehouden.'

'Komt nog', zegt hij. 'Volgende week of de week daarna. En een assist telt toch ook mee op de topscorerslijst?'

'Een half doelpunt', zeg ik. 'Minstens!'

Hij incasseert tevreden. Een half doelpunt in de hoofdklasse – daarmee kan hij maandag op school de blits maken.

'En wat vind je, hoe heeft de vader van Dirk Kuyt het gedaan?'

'Je was stom. Volgens mij heb je nog nooit zo hard geschreeuwd als vandaag.'

'Echt?'

'Pap, ik zweer het.'

Zwijgend parkeer ik de auto voor de deur. Over de heg heen zie ik de hoopvolle gezichten van mijn vrouw, mijn dochter.

'Vertel jij het maar', zeg ik.

⚽

Nooit nam ik thuis de telefoon op, behalve die keer om kwart over zeven 's avonds.

Ik zei mijn naam. De stem aan de andere kant deed mij naar adem happen.

'Met Van der Hoeven van Feyenoord. Spreek ik met...'

Hij noemde mijn naam.

Dat was ik.

'Ik heb je brief gelezen waarin je Feyenoord tipt om Karel Bouwens, André Stafleu en René Notten te verkopen en de opbrengst te investeren in Michel Platini... Goed plan', vervolgde Van der Hoeven. 'Ik denk dat we komende maand maar eens met Nancy moeten gaan onderhandelen. Je bent ...'

'Dertien', zei ik.

'Voetbal je zelf ook?'

'Ja.'

'Spits van de C1 zeker?'

'Nee', zei ik. 'Nog niet.' Gelukkig vroeg Van der Hoeven niet door.

'Je biedt aan om voor Feyenoord, zoals jij schrijft, te spieken en speuren in Friesland.'

Ik mompelde iets instemmends.

'Die Piet Beuzenberg, die jij in je brief tipt, is dat

een spits?'

'Keeper', zei ik.

Hij zweeg een paar seconden, vermoedelijk om dat aan het dossier toe te voegen. Stom dat ik dat er niet bij had gezet. Of had Van der Hoeven geen interesse in keepers?

We gingen alle spelers langs. Ik omschreef waarom de rechtsback van het tweede elftal van vierdeklasser LSC in mijn ogen een uniek talent was, en Van der Hoeven noteerde, of deed alsof.

Na vijf minuten waren we door mijn lijstje met spelers heen en beëindigde hij ons gesprek. 'Hou ons op de hoogte', zei Van der Hoeven. 'En veel succes met je eigen voetbalcarrière.'

'Wie was dat?', vroeg mijn moeder argwanend toen ik had opgehangen.

'O, iemand van Feyenoord', zei ik.

Brieven zou ik Van der Hoeven nooit schrijven. Misschien omdat ik kort daarna veertien werd en de belachelijkheid van alles begon in te zien.

Pieter Beuzenberg werd een paar jaar later door FC Groningen weggeplukt. In het seizoen 1984-1985 stond hij er acht keer in de basis, samen met internationals als Bud Brocken en Adri van Tiggelen, de tropische parel Fandi Ahmad.

Elke keer als ik Beuzenberg 's avonds bij Studio Sport naar de bovenhoek zag zweven en hij de bal vlekkeloos uit de kruising tikte, dacht ik aan Van der Hoeven en ons gesprek. Hoe hij nu, zittend voor de buis, de haren uit zijn hoofd moest rukken.

⚽

De week na Vennepse Boys spelen we thuis tegen de andere geheide degradatiekandidaat, DSV.

'Morgen spelen we tegen DSV, mannen', mailt Rolf. 'En DSV ... heeft nog geen enkel punt. Maaaaaar... dat hebben wij ook niet. Dus daar gaan we met z'n allen een mooie wedstrijd van maken en alles uit de kast halen om te winnen. Als jullie zo spelen zoals afgelopen zaterdag tegen Vennepse Boys, dan moet dat ook kunnen, mannen. Er werd van begin af aan gebikkeld en zeker in de tweede helft goed gevoetbald. Daar komt ons eerste doelpunt uit voort. Robin die goed doorzet bij de achterlijn en de bal voorzet.' Dan verschijnt zoon ineens in de mail van Rolf. Zoon, die 'slim doortikt naar Mees en Mees die binnenschiet (graag de volgende keer nog wat harder, Mees!). Dat gaan jullie morgen gewoon weer doen!'

Ik lees de mail aan zoon voor. Zijn naam die niet langer alleen aan tamelijk vrijblijvende complimenten ('altijd aanspeelbaar', 'hield het veld goed breed') wordt gekoppeld, maar aan een directe daad.

Trots hoort hij het aan, en leest daarna de hele mail nog een keertje van het computerscherm om zeker te weten dat zijn vader hem niet bedriegt.

'Rolf zet het ook op de website van DES', 'zeg ik. 'En je weet hoe de scouts van Ajax en Feyenoord zich informeren. Die gaan niet lukraak naar allerlei wedstrijden toe. Ze zijn gek. Die doen hun voorwerk via al die wedstrijdverslagen op de sites. En dan maken ze hun keuze.'

'Dus morgen...'

'Reken maar van yes.'

'Je maakt een grapje...'

'Ik ben het toch zeker zelf geweest: scout van Feyenoord...'

'Maar zullen ze dan niet eerder Mees uitkiezen?'

'Mees?', speel ik verbazing. 'Mezen hebben ze bij Feyenoord al genoeg. Spelers die anderen beter laten voetballen, die zorgen dat de Mezen kunnen opvallen, die zijn juist zeldzaam.'

'Okee', mompelt hij en zegt het voor de zekerheid nog een tweede keer. 'Okee.'

Mijn voetbalteam bij OZS dunde elk jaar verder uit. Klasgenoten kozen voor tennis of schaken, of wilden meer tijd voor hun studie omdat een acht op het rapport de kans op inloting bij geneeskunde groter maakte.

Alleen Auschwitz, de broodmagere brekebeen, bleef aan mijn zijde. Zijn slepende tred kon ik dromen.

Mijn hoop op ontdekking liet ik stilaan varen. Leeftijdsgenoten debuteerden al in het eerste van Feyenoord.

De zomer dat ik zeventien werd, verhuisden we naar een andere plaats, op drie kwartier fietsen van Sneek. Hoefde geen probleem te zijn, beloofde mijn moeder. Mijn vader was graag bereid me af en toe naar het sportpark van OZS te brengen.

Ik dacht aan de lange ritten, zijn commentaar vervat in dodelijke oneliners: 'Je bent bang voor de bal.' De andere dingen die je op zaterdagochtend ook kon doen.

Ik zegde mijn lidmaatschap van OZS op.

De zaterdagochtend werd decennialang uitslapen, krant, koffie. Wat nooit helemaal verdween was het knagende gevoel, als op vakantie ergens in een dorp aan de Franse kust een voetbalveld stoofde in de zon. Als de wind door het kortgeschoren gras joeg en de strak gespannen netten streelde.

Stel, dacht ik soms, dat Dijkstra toen onze afspraak was nagekomen... Onwillekeurig streek ik dan door mijn haar en tastte naar mijn rechterkuit om mijn kous een laatste keer op te hijsen, voordat de scheidsrechter de teams had geïnspecteerd en in het volgepakte stadion dat zinderde van verwachting voor de aftrap blies.

⚽

De scouts kwamen niet naar DSV en bleven ook het verdere seizoen thuis. Of ze hadden hun regenjassen vergeten en zich daarmee ontdaan van hun herkenbaarheid. Stom, want ze hadden reden genoeg om in dat mega-aanbod van junioren juist ons team een keer te bezoeken.

Na de winst op DSV (met 5-1 weggespeeld) klommen we in het verloop van de competitie van de elfde naar de zevende plaats. Nederlagen met dubbele cijfers kwamen niet meer voor. De latere kampioen die ons een van de eerste competitiewedstrijden nog met 10-0 afdroogde, hielden we uit op 2-2. Vennepse Boys werd thuis verslagen. Knalgroene regenjas stampte zonder een woord te wisselen ons sportterrein af.

We sluiten het seizoen van de E1 af met een weekend kamperen. Het is bloedheet op de camping, zodat we het geplande voetbaltoernooi schrappen en verkoeling zoeken bij het zwembad.

De aanwezige meisjes worden gretig door Mees en een paar andere jongens verkend. Ze dragen zonnebrillen en hun ruggen zijn bruinverbrand. De merknaam van hun onderbroek prijkt beloftevol boven hun laaghangende zwemshort.

Zoon houdt het liever bij badminton.

Het is na de barbecue, al tegen negenen, als Rolf iedereen bijelkaar roept. Eindelijk gaat het gebeuren, zegt hij tot mijn, tot ieders verbijstering: de wedstrijd tussen de vaders en de zonen.

'Yes!', schreeuwen de zonen. Ze stropen het natte zwemgoed van hun lijf, schieten in een broek en een shirt en rennen naar het veld. Ik duw mezelf overeind uit mijn ligstoel en tel de ingedeukte halveliterblikjes bier die over het gras liggen verspreid. Vierentwintig.

Het campinggras is stug, lang en droog. In geen maanden heb ik een bal geraakt.

'Vaders shirtjes uit!', roept Rolf. 'Anders weten we niet wie bij wie hoort.'

Moet dat? Moet dat echt? Ik sjor het shirt over mijn dicht begroeide, malse heuvels, waarlangs beekjes van zweet naar beneden gutsen. Om me heen is het goddank niet beter. Uitgezakte borstpartijen gelardeerd met een grijs plukje doorgeschoten haar. Zwembandjes puilen over de rand van een spijkerbroek.

Negen jonge hinden versus negen doorregen buffels.

Rolf blaast af.

Dankzij een paar afstandschoten in het grote doel waar Thijs nooit bij kan, nemen we in het eerste half uur een 4-1 voorsprong.

Vervolgens moet vader van Bas met een spierblessure naar de kant. Vader van Donovan strompelt alleen nog. Ik moet mijn actieradius vanwege een spiertje in de heup gaandeweg beperken tot een smalle strook rond de denkbeeldige middenlijn. Alleen de vader van Wessel die elk weekend schijnt te joggen en te mountainbiken biedt volop weerstand. Hij rent, passt, vecht… als een buffel in de kracht van zijn leven.

De zonen komen terug tot 4-2.

'Kom op, mannen', schreeuwt vader van Boris. 'Schuif dat kleine grut onder het gras!'

De rechterheup gaat nu echt pijn doen. Rennen kan niet meer, alleen een soort snelwandelen. Het moet er belachelijk uitzien, een parodie op voetbal.

Zoon komt los. Hij tikt vader van Bas op zijn hiel en gaat er met de bal vandoor. Met een sliding ontneemt hij vader van Mees de bal en speelt meteen door op diens zoon.

Het wordt 4-3, door een intikkertje van de kleine Robin die door onze verdediging geheel over het hoofd wordt gezien. De zonen springen op en slaan de handen hoog in de lucht tegen elkaar. 'We gaan die ouwe lullen pakken!'

Dat nooit.

Rolf passt op vader van Boris, die twee jongens uitdolt en de bal panklaar legt voor vader van Donovan. Hij hoeft alleen maar in te tikken, maar op het moment dat hij schiet verkrampt er iets bij zijn hamstring en rolt de bal naast. Definitief uitgeschakeld. Ik moet de rest van de wedstrijd de hele rechterkant voor mijn rekening nemen.

Thijs trapt uit, verder dan ik hem ooit bij een wedstrijd heb zien doen.

Vader van Bas vangt op en schuift mij de bal toe. Ik wil hem met een slepende beweging meenemen, om Mees heen, maar in het stroeve gras rolt de bal niet, maar blijft liggen. Mees kan overnemen en passt meteen op Robin, die genadeloos de bal in de kruising lelt: 4-4.

'Lekker pap', roept zoon, als hij terugloopt naar zijn eigen helft.

'Winnende goal', roept Rolf. De laatste vijf minuten is hij amper van de middenstip geweken. Een regisseur, door zijn spelers in de steek gelaten.

Zoon krijgt de bal aangespeeld van Donovan, drijft hem mijn kant op. Vlak voor me, precies op het moment dat ik mijn rechtervoet naar de bal breng, speelt hij de bal door mijn benen en rent zelf langs de linkerkant. Ik wil zoon vastgrijpen, tegenhouden, maar ik pak slechts lucht, verzengend hete campinglucht.

'Goed zo', roept Rolf. Hij ziet hoe ik de achtervolging inzet, maar na tien meter opgeef. Mijn heup...

Ik buk, leg mijn handen op de knieën, rood en nat. Mijn hart bonkt in een krankzinnige housebeat.

'Niet blijven staan! Verdedigen!', schreeuwt vader van Thijs.

Daar gaat zoon, recht op het doel af. Het kan niet anders of hij zal de bal zo in de hoek schieten die door de tot keeper gepromoveerde vader van Donovan geheel over het hoofd wordt gezien. Zijn eerste doelpunt van dit seizoen en meteen het belangrijkste uit zijn carrière.

Dirk Kuyt gaat scoren.

Ik laat me voorover vallen in het campinggras, dat prikt en steekt, en sluit de ogen. Ergens verderop barst een tomeloos gejuich los.